KB104106

“ ”

언어의 미학

청춘들의 ESSAY

언어의 미학

발행 _ 2023년 12월 26일

지은이 _ 2023. 벌교고. 열일곱 열여덟

엮은이 _ 이윤정

디자인 _ **enbergen3@gmail.com**

펴낸이 _ 한건희

펴낸곳 _ 부크크

출판등록 _ 2014.07.15.(제2014-16호)

주소 _ 서울특별시 금천구 가산디지털1로 119 SK트윈타워 A동 305호

전화 _ 1670-8316

이메일 _ **info@bookk.co.kr**

홈페이지 _ **www.bookk.co.kr**

ISBN _ 979-11-410-5991-0

값은 표지에 있습니다.

“ ”
언어의 미학

청춘들의 ESSAY

recommendation

추천사

'언어의 미학 ESSAY'는 2023년도를 살아가고 있는 벌교고등학교 열입곱, 열여덟 학생들의 진솔한 생각이 담겨있습니다. 이 책에 실린 각 에세이는 종이에 적힌 단어 그 이상입니다. 그것은 다양한 배경을 가진 학생들이 경험한 삶의 단편이자 진심 어린 이야기입니다. 개인적인 어려움을 극복하는 이야기, 정체성에 대한 이야기, 친구에 대한 진솔한 이야기, 일상 생활에서 작지만 의미 있는 승리에 대한 이야기 등 모든 작품이 진정성과 정서적 깊이를 울립니다.

특히, 눈에 띄는 에세이 중 하나는 'partⅢ. 다희에게_MEMORIAL ESSAY' 입니다. 지난 11월, 갑작스럽게 불의의 사고로 소중한 친구를 잃은 후, 우리 학생들은 진행하고 있던 국어 수업(에세이 쓰기)을 통해 다희의 기억을 기리는 성숙한 방법을 찾았습니다. 고인이 된 친구를 떠올리며 학생들이 쓴 이 이야기는 가슴 아픈 반성부터 희망과 회복력에 대한 희망찬 이야기까지… 우리 어른 세대가 또 다른 배움과 감동을 느끼게 합니다.
벌교고등학교는 학생들이 자신의 목소리를 찾고 표현하도록 격려하기 위해 노력하고 있습니다.

모든 학생은 자신의 언어로 만든 이야기를 공유함으로써 제목처럼 진정한 삶, 이해, 치유를 찾을 수 있다는 미학의 철학을 상기시킵니다. 청소년의 관점을 더 깊이 이해하고 싶은 분들에게 이 책을 진심으로 추천합니다.

2023년 12월

벌교고등학교 교사 이윤정

contents

목차

part Ⅰ.
생각의 파도_
REFLECTION ESSAY
6

part Ⅱ.
잊혀진 순간_
PHOTO ESSAY
62

part Ⅲ.
다희에게_
MEMORIAL ESSAY
166

part Ⅰ.
생각의 파도_
REFLECTION ESSAY

김동현

별처럼

봄 여름 가을 겨울
계절 상관없이
밤 하늘에 별이 항상 가득 차 있다.
너도 별처럼
내 옆에서 항상 별처럼 빛나면 좋겠다.

박일균

조연

밤의 주연이 등장할 때 자신을 뽐내며 등장하는 주연과 달리
배경을 빛내주는 조연들.
나도 다른 이에게
그러한 조연이 될 수 있을까?
다른 이의 인생을
밝혀주는 그러한 삶을

조동수

행복

행복을 얻는다는 건
그리 어려운게 아니다.
다이어트 중인 나에게
자그마한 과자 한 입.
저축하느라 돈을 아낀 나에게
작은 쇼핑 한 번.
고생한 나에게 주는
자그마한 보상 하나.
그것이 내 행복이다.

유도균

떳떳함

저 하늘로 날아가는 폭죽은
한치의 망설임도 없이 떳떳하게 날아간다.
사람들도 자신은 떳떳하다 자부하지만
다른 관점에서 보면,
그저 나만의 착각임을 깨닫게 된다.
네 자신은 끊임없이 남을 탓 하지만
행동 태도에는 너도 떳떳하지 못할 것이다.

문주영

인생이여, 만세

비바라비다는 인생이여, 만세라는 뜻이다.

비바라비다는 약 한달 전부터 시작한 드라마에서 나온 말이었다.

"고통 앞에 아름다웠고, 끝까지 강인했거든, 끝임없이 자신을 괴롭혔던 인생에, 이 그림 한장으로 멋지게 엿을 먹였어."

프리다 칼로가 그린 수박을 자세히 보면 수박에 Viva la vida라고 적혀있다.

우리만 힘든게 아니고

우리만 즐거운게 아니고

우리만 슬픈 이별을 겪은 것이 아니다.

어른들보다 조금 빠른 이별을 겪었고 많이 슬프지만 그 이별을 이겨내야 한다.

우리 모두는 인생에서 많은 갈림길과 장애물, 즐거움, 행복함, 슬픔이 있을 때가 있다.

하지만 그럴 때마다 프리다 칼로처럼 세상에 웃으며

'비바라비다'라고 외치며 살아야하지 않을까?

정현서

변치 않는 우정

그대는 나를 어떻게 생각하는가
나를 미워해도, 좋아해도 나는 좋다.
그러니 이 우정 변치 말아다오.
나는 그대들에게 고맙고 미안한 마음뿐이다.
저기 있는 태양이 사라져도
내 마음에 있는 태양은 영원히 그대들에게 빛을 낼 것이다.
그러니 이 우정 변치 말아다오.

유형욱

유형욱

기억도 나지 않는 시절의 나를 보며
보기만 해도 즐겁다.
나는 어떻게 저런 표정을 지을 수 있었을까
크리스마스의 설렘
선물의 설렘
눈이 오는 것에 대한 설렘
집에 가서 놀 것에 대한 설렘
지금의 나는 어떤 설렘을 느끼는가
다시 저런 표정을 지을 수 있기를

김세준

머저리 삼인방의 추억 쌓기

서로 '내가 저 멍청이보단 낫지' 라고 생각하는 세 얼간이들
그냥 밥 먹으러간 식당에서 물로 건배하며 추억을 쌓아갔다.
이후엔 어떤게 담겨있을까?
추억? 우정? 그리움?
잔 속에 어떤게 있을진 몰라도 좋은게 담겨있길 바라며
오늘도 장난치며 하루를 시작해야겠다.

지효은

바다

바다와 하늘의 경계선이 잘 구분되지 않는
제주도의 바다는 넋을 놓고 바라보게 된다.
바다의 내음, 일몰 시간대의 연분홍색 구름,
찰랑이는 바다의 윤슬까지 내 마음의 심금을
울리는 거 같다.

안예빈

관계

우리는 수많은 관계 속에 살아간다.
하지만 그 관계 속에 나의 진짜 모습이 아닌
사람들이 좋아하는 나로 그 관계 속에 살아간다면 오래가지 못한다.
남을 배려하는것은 정말 중요하지만 남이 아닌 나를 배려하는것 또한 중요하다.
우리들의 관계 속에서 지치지 않고 잘 살아가려면 사람들 뿐만 아니라 '나'도 생각하고 배려해 주어야만 한다.

유현희

여유로움

아무것도 하지않고
자연의 소리를 들으며
마음을 비우고
깊은 호흡을 하는 것.

윤은혜

쉼

낮이 있기에 밤이 있고,
밤이 있기에 낮이 있다.
성공이 있기에 실패가 있고,
실패가 있기에 성공이 있다.
이 모든 사이에는
쉼이 있다.

김수민

다시, 시작

일에서도 관계에서도
과거에 책갈피를 하나 꽂고
과감하게 페이지를 넘길 것.

이서윤

아낌없는 나무

아낌없이 주는 나무
그런 나무만이 아름다운가?
존재만으로
아름다운 나무
바람에 휘날리지 않으며
누군가의 교목이 되는
그런 나무가 되고 싶다.

이형민

사랑한 순간

한 순간에 사라지는 불꽃.
그 짧은 순간이 영원했으면 하는 마치 사랑과도 같다.
그것은 내게 짧은 순간이지만
가장 행복했던 순간이기도,
가장 잊고 싶지만 잊지 못하는 순간이기도 하다.
모두들 사랑받길 원하고 사랑하기를 원한다.
난
사랑하고 싶고
사랑받고 싶고
사랑한다 말하고 싶다.
나에게 사랑은 불꽃과도 같은 짧지만 행복했던 순간이었다.

조은아

백운

퐁신퐁신 솜사탕 한 입이면
순식간에 입 안에서
사르르르
흔적도 없이 사라져버린다.
넓고 깊은 푸른 바다에
겁먹어 녹아버린
내 마음도 그러하다.

김도열

냄새

집 냄새
추석전 냄새
여름냄새
새벽 공기 냄새
세상은 저마나의 냄새로 가득하다.
어떤 한 냄새를 맡으면
그 시절이 그리워 진다.
그 냄새를 처음 맡았던
모든것이 새롭고 즐거웠던
그 시절.

김수혁

밤의 소원

어제 본 별이
오늘도
그 자리에 있길

김 별

회피

피하고 도망갈수록 계속 신경쓰이고 거슬린다.
밀어내고 외면하려해도 나에게 다시 돌아온다.
이 감정마저도 열심히 회피했다.
하지만 이젠 깨달았다.
회피는 나의 성장통 이라는 것을.
오히려 그 감정들을 마주하는 것이 받아들이는 것이
나의 마음을 더 편하게 만들었다.
회피하고 싶은 것들을 받아들여 나의 마음에 충실 할 때
그 때 나를 더 성장하게 만든다.

김효윤

이 또한

이제는 익숙해져간다.
무뎌져간다.
그렇게 잊는다.
사람이 그렇다.

양정원

바람

낙엽을 떨어뜨리는 바람.
꽃잎을 날리는 바람.
생명을 앗아가는 바람이지만
민들레 씨앗을 날리는 바람.
꽃가루를 날리는 바람.
생명을 품은 바람이기도 하다.

왕덕현

기억해

슬프고 힘들고 지치지만 내가 해야할 것.
가야 할 길이 있으니 포기하지 않고 끝까지 해야한다.
내가 좋아 하는 짧은 글이 있다.
'모든 것이 아프고 고통이 끝나길 바랄 때
비가 없으면 꽃도 없고 고통 없이는 성장도 없다는걸 기억해라'
슬프고 지쳐도 이 일을 버티고 이겨내면
더 자란 나를 볼 수 있을 것 같다.

정우진

달리기

모든 사건 사고들은 순식간에 일어나고
우리가 무엇도 할수없이 빠르게 일어난다.
허나 이러한 사고가 일어나기전에 막을 수 있는 대책은 만들 수 있다.
그리고 99퍼의 절망과 1퍼센트의 기적이 있다면
난 그 1퍼센트의 기적을 향해 달려가고 있을 것이다.

송아린

운명

난 운명론을 믿는다.
인간이 날 때 부터 바꿀 수 없으며
주어진 운명을 달고 살고, 죽는 것
그것이 운명론이다.
하지만 내가 믿는 운명론은 다르다.
그 누구던, 설령 하늘의 계시라고 하여든,
나 자신이 운명을 창조하는 것이라고
어제도, 오늘도, 내일도
나는 나 자신의 운명을 창조하리라.

윤광현

고개를 들면

고개를 들면 보이는 하늘
그 하늘에는 많은 것이 있다.
아침에는 태양, 구름
저녁에는 별, 달

박나은

희망

희망은 어두운 밤에 비추는 빛이다.
그 작은 빛 하나라도
우리가 나아가야 할 힘을 얻을 수 있다.
우리가 더 나은 미래를 향해
나아갈 수 있게 해주는 열쇠이고
새로운 가능성을 보여주고 더 나은 미래를 향해 나아갈 수 있는 힘을 준다.
우리는 언제가 희망을 가지고
앞으로 나아가야 한다.
희망을 우리의 삶에 빛과 기운을 불어넣어 주는 소중한 선물이다.

박세원

사랑

사랑은 우리 삶의 가장 아름다운 모토 중 하나이다.
우리는 사랑을
갈망하고,
나누며,
더 나은 삶을 만들어 간다.
사랑은 우리의 인생을 더 풍부하고 의미있는 것으로 만든다.

박진성

지기지우

자기의 속마음을 참되게 알아주는 친구

송상영

그녀석

가슴이 저려온다
너가 했던 말들이 떠오른다
벌교살이 2년
벌교고등학교 4학년 4반 4번
메이커씬

강민규

삶이 있을 뿐

니체는 말했다.
'신은 죽었다.'
나는 말한다.
'시는 없다.'

박정준

친구

행복은 마음의 여유에서
맑고 푸른 하늘처럼 자유롭게 펼쳐져.
가슴에 담은 작은 기쁨들이 모여,
삶의 조각들을 아름답게 물들인다.
행복은 내 안에 있고 주변에 퍼져,
소중한 사람들과 함께 나누는 것.
작지만 무엇보다 큰 힘이 되어,
행복이란 작은 기쁨들로 가득 차 있다.

서재원

벗

장미아파트 대표로 놀이터 입장료 받던 시절
나한테 맞고 울면서 츄파춥스 먹던 아가들아
잘 살아있느냐?
이름이 가물가물하다
춘자랑 일남이, 만수
나중에 만나면
홈플러스 가서 어린이 정식이나 먹자.

송나영

엎질러진 물

많은 사람들은 완벽을 추구한다.
완벽해지기 위해
노력에 숫자를 붙이고
다른 사람에게 상처를 주기도 하고
본인 스스로를 채찍질 하며
완벽해지기를 바란다.
왜 우리는 실수 하는 것을 두려워 하는걸까.
왜 한 번의 행동으로 누군가의 가치를 판단하는걸까.
왜 완벽하지 못한 자신을 자책하는걸까.
실수해도 괜찮다.
이건 시덥지 않은 위로의 말이 아니다.
말 그대로 괜찮다는것이다.
엎질러진 물은 그냥 다시 닦으면 된다.

양애영

물귀신

남을 위해서 나를 망치려고 하고
나를 위해서 남을 망치려고 한다.
우리는 서로를 위해 서로를 망치려 하고 있다.

여은구

구별

다른 사람들과 나는 모두 사람이다.
그러나 구별을 할 수 있는 이유는 각기 다른 특징들이 있기 때문이다.
하늘의 넓게 펼쳐진 구름들고
모두 구름이지만 어떤 구름은 동물의 모습을
어떤구름은 사람의 얼굴을 닮았다.
제각각 모습이다.
이렇듯 모두가 같지만 다른 특징을 가지고 있어 남들과 구별되는
나를 찾을 수 있다.

윤동휘

계획

막상 상황이 왔을 때
계획이 없으면 아무것도 못하게 된다.
하지만
계획을 한 후 상황이 오면
계획대로 실행할 수 있다.

서시원

친구

너가 가면 나도 간다
너가 하면 나도 한다.
혼자 하면 재밌냐
같이 해야 재밌지.

조홍철

감탄고토(甘呑苦吐)

인생이 참 쓰네요.
모두 달달하게 살아봅시다.

윤찬혁

한자리

사람들은 자신의 존재를 드러내기 위해
때와 장소에 맞게 성격, 옷, 혹은 화장을 한다.
사람은 존재하기 위해 산다, 학생은 학교에서 한자리,
성인은 사회에서 한자리 한자리를 채우기 위해서 자신의 존재를 드러낸다.
그렇게 한자리를 채우게 되면 더더욱 욕망이 생겨
모두들이 나를 봐주었으면 한다는 욕구가 생긴다.
또 그렇게 존재감을 드러내기 위해 사람들은
하루, 한달, 일년, 평생을 노력한다.

이윤서

바나나

숫자로 나의 능력이 보인다.
숫자로 나의 미래가 결정될 수 있다.
나는 어떤 사람인가를 보는 1순위가 어쩌면
성적표 속 숫자일 수 있다.
노랗다고 생각하는 바나나도
껍질을 까면 노란색이 아닌 흰색
숫자라는 껍질로 가려진 우리 모습도
속살을 보면 저마다의 색이 있다
그러나 우리는 숫자라는 현실속에 가려
진짜 나 자신의 가치를 떨어뜨리고 있다.
시험 하나 못보면 모자란 사람이고,
등급 하나 낮으면 별 볼 일 없는 사람이 돼버리는 우리는
이런 현실 속에서 어떤 삶을 살아야할까.

정대영

ME 人

이 별은 무한한 가능성과
아직 탐구할 것이 많은 별이다.
이별은 우리 은하계에서 가장 밝은 별이고
앞으로 우리에게 무한한 에너지를 주며
세상을 가장 밝게 빛낼 별이다.

정영운

믿음

가파른 언덕 위에 있어도
비를 막아줄 우산이 없어도
추운 바닷바람을 막아줄 집이 없어도
혼자가 아니라는 믿음이 있기에
이런 모든 것들을 견딜 수 있습니다.
고개를 떨구지 않고
앞을 바라보고 있는 이유도
그의 마음만은
외롭지 않았기 때문입니다.

박건우

벌교 남자

다 덤벼봐라
그 어떠한 고난도 날 이기지 못하니깐
그녀들아 꼬셔봐라
넘어가지 않는 벌교 남자니깐.

정효준

외로운 밤 문득 너가 생각나서 나도 모르게 전화를 걸었어

혹시 지금 시간 돼…?
이야기 좀 하자

박채원

우리집 고양이 츄르를 좋아해

츄르를 좋아하는 우리집 고양이
돼지다.

최서혜

모험

어두운 밤하늘에 반짝이는 별.
네 눈동자와 같이 깊고 맑아.
사랑은 우리를 우리만의 세계로 이끄는
놀라운 모험과도 같이 흥미롭다.

표성민

순수함

광활한 하늘은
기쁜 날엔 아름답게
슬픈 날엔 공허하게 보이는데
내가 느끼고 본 하늘은
아름다운 것이
아름답게 보여진 순수함이다.

홍성룡

빛

어둡고 컴컴한 저녁에 사람들이 모여
누구나 상관 없이 꼬막축제를 즐기며 즐거운 축제를 보낸다.
나는 음식을 파는 상인들과 점점 늘어나는 사람들을 보며 즐거웠다.
친구들과 어떻게 보내면 즐거울까 생각하였는데
폭죽을 사서 재밌을거 같아 친구들과 폭죽놀이를 즐기며
컴컴한 밤에 한 줄기에 빛을 떠올려 보내며
이렇게 서로 웃으며 또 다른 빛을 냈다.
또 이런 날이 언제 올까.
오늘 하루는 즐거웠다.

윤지수

편안함

나를 반기는 고요함
잔잔한 물소리,
마음이 가벼워지네.
바다는 잠을자는듯 깊이 숨을쉬고
그 바다처럼 깊고 넓게 살고싶어라.
편하게,여유롭게

서원오

청춘

여름이었다.

박수연

곁에 있길

힘든일에 지쳐 밤하늘을 볼때면
멀리있어도 언제나 한 곳에서
내 곁을 떠난적이 없는 별을 볼때면
내가 아끼는 사람이 별처럼 내 곁에 있길
멀리 떨어져도 곁에 있길

정우혁

핫팩

핫팩은 나에게 따뜻함을 느끼게 해주지만,
스스로 열을 낼 수 없다.
서로가 상호보완적인
관계이면서 나의 부족한 부분을 서슴없이 보여주는 것.
나는 이런 것을 원했나보다.
부담스러운 것은 멀리하고
싫은 것에 대해서는 확고한 나에게
이런 말을 해주고싶다.
'숨기지말고 있는 그대로를 보여주면 다 괜찮아진다'

김선재

기억

검게 물든 하늘에 피어오르는 별빛들
그 밝게 빛나던 불꽃은 금세 사라져
화약 냄새와 연기만 남아 떠돌지만
밤하늘을 가득 메우던 불꽃은
우리의 머릿속에 남아 영원히 기억되겠지.
이 완벽한 순간에 너도 함께면 좋았을 텐데

이현

누군가의 해와 달과 별

가라앉기 직전 붉게 타오르는 태양을 본 적이 있는가?
그 순간의 태양은 그 무엇보다도 밝은 빛을 낸다고들 한다.
우리는 이를 회광반조라고 부른다.
하지만 마지막으로 스스로의 빛을 밝힌 태양이 끝내 수평선 너머로 저물 듯,
그렇게 피워낸 빛도 끝끝내 다시 꺼지고만다.
가장 밝은 순간의 뒤로 가장 어두운 밤이 오는 것이다.
낮을 만들던 태양이 사라지면 으레 밤이 찾아온다.
밤은 어둡고 차가워 두려움의 상징으로 자리잡았다.
그런 두려움 속에도 빛은 있다. 밤하늘의 달은 작지만 부드러운 빛을 내뿜는다.
달빛은 하나만으로는 퍽 연약하지만
그 주변으로는 무수한 별빛이 반짝이며 어두운 밤을 밝혀내는 법이다.
사람들도 그렇다. 모두가 모든 것을 밝게 빛내고 사라질 태양은 아닐지언정
그들도 스스로의, 그리고 함께 모여
다른 누군가의 밤을 분명하게 밝혀낼 별이고
또 달일 것이다.

part Ⅱ.
잊혀진 순간_
PHOTO ESSAY

김은정

SNS

물에 뜨기 위해 수천번, 수만번.
하지만
사람들은 아름다운 백조의 모습만 본다.
화려한 삶을 가진 이들은
무언가 포기하고
무언가 상처를 받고
무언가 간절히 원해 얻은 결과물인 것을.
우리는 그들에게
자격지심을 느끼고
나는 나에게
비관한다.
놓은건 눈에 보이지 않고
손에 쥔 것만 보게되어 부러워한다.
아무 의미 없는 행동을 밥먹듯이 하고
그들에 대한 부러운 마음이
자기 자신을 다치게 한다.

강윤정

제주 제주시 서해안로

신비로운 제주의 해안선을 따라 걷다 보면
파도가 부서지는 소리와 함께
신선한 바다 냄새에 코끝이 간지럽다.

김동환

노을

하늘이 조금씩 조금씩 붉어지며
푸르고 푸른 하늘은 점차 변해 가고
저 붉은 노을을 보기 위해
하나 둘씩 떠나간다
아직 붉어지지 않은 하늘 아래
산산한 바람이 불고
잔잔한 파도가 치는
고요함 속에서
아직 남아있다. 한 사람이….
그는 고요한 이 상황을 깰 수 없었는지
그는 더이상 일어날 힘이 없었는지
그저 의자에 앉아서
애써 푸른 하늘을 바라본다….

푸르기만 하는 하늘을 보기 힘들어
고개를 숙이는데
조금씩 그를 건드리는 무언가에 의해
고개를 든 그 순간
더이상 자신의 하늘이
붉어질 수 없다고 생각한 하늘에서
또 다른 해가 다시 천천히 떠오르듯이
푸르른 하늘을 천천히 붉어져갔다
그는 그 고요함 속에서 일어나
다시 한번 노을을 향해 나아간다

김시내

거품처럼

과거에 있었던, 혹은 미래에 생길 걱정
모두 이 거품처럼 사라지길

모소영

숲과 바다

저기 숲이 되어볼게
때론 넓은 바다가 되어볼게
숲의 길을 터 보일게
높은 나무를 내어줄게
그럼 초록빛의 숲,
땀과 눈물이 모인 투명한 바다가 될 거야
너의 숲과 바다는 많은 사람들이 헤엄칠 수 있을 만큼 커질 거야
결국 우린 밤하늘과 함께 온전해질 거야
우린 때론 숲이, 바다가 밤하늘 같아
시시각각 변해가는 세상과
같이 가느라 노력할 뿐
언제든 어디서든 빛난다는걸

임혜빈

친구

어른들은 인생에 있어 친구는 중요하지 않다고 한다. 어차피 졸업하면 남이라고 다 떨어지게 된다면서 하지만 난 그렇게 생각하지 않는다.인터넷에 검색해보면 친구의 정의는 가깝게 오래 사귄 사람이라 정의되어 있다. 가깝게와 오래의 기준은 사람마다 다를 수 있다. 한달만 보아도 오래라 할 수 있고 1년 이상을 봐야 오래라고 하는 사람도 있다. 그럼 친구라는 것도 사람마다 다를 것이다. 나의 경우 서로 공감하고 의지할 수 있는 사이를 친구라고 본다. 그리고 친구의 존재는 유치원때 부터 있는 것이기에 자아형성에 있어 핵심적인 존재이다. 사람의 인성을 좌지우지하는 것엔 가정환경도 중요하지만 어렸을때부터 만나오는 사람이 중요한데 사람은 주변인들에게 물드는 경향이 크고 다수가 하면 소수도 따라야한다는 경향이 크기 때문이다. 그렇기에 좋은 친구를 두는 것은 중요하다. 물론 그렇다고 친구에게 너무 의존하는 것은 좋진 않다. 친구에게 너무 의존하게 되면 혼자가 됐을 땐 아무것도 할 수 없는 사람이 되기 때문이다. 하지만 이런 저런 친구를 사겨보며 사람보는 안목을 키우는 것도 필요하다. 한참 사춘기 시기인만큼 같은 시기를 겪는 아이들과 공감하고 배우는게 중요하다. 자신과 같은 처지의 아이들과 공감하고 서로 배우고 가르치고 하며 자라는 것이 친구이다. 비록 언젠가는 헤어질 관계라 하여도 그 잠깐의 순간에서의 만남이 나의 미래를 크게 바꿀것이다.

김보미

바람

끝없이 펼쳐진 바다와 잔잔한 파도 소리가 마음에까지 밀려왔다.
마음 속 모래사장에 묻어두었던 걱정과 근심을 쓸고 가주었다.
묻어두었던 흔적에 석양이 들어차 새로운 새싹이 돋아난다.
바다를 보고있는 사람들에게도 파도가 밀려오길 바란다.

김한희

쓰고 싶은 밤의 조각

마음이 싱숭생숭한 밤이다.
노래 하나에 내 마음이 파도처럼 일렁이고
살아온 과거에 대해 돌아보는 시간을 가지며
추억 한점에 소리내어 웃었다.
오늘을 돌아보았을 때 미소지으며 코웃음 칠 날이었는가.

박현성

덧없는 인생

저- 수평선도
언젠가는 끝이 있겠지
길고 긴 인생에도
언젠가는 끝이 있겠지
우리 만남에도
언젠가는 끝이 있겠지
그 끝에 가서
우리 아쉬워하지 맙시다
마지막 순간에도
우리 아쉬워하지 맙시다
이별의 순간에도
우리 아쉬워하지 맙시다

서로 생각하는 마음
저- 수평선으로 멀리- 멀리-
그 때는 그 때에 묻어놓고
잊은 듯이
우리 살아갑시다
흐르는 듯이
어쩌면
꿈을 꾼 듯합니다
아득히 먼 수평선에서
꿈을 꾼 듯합니다
바다 저 너머의
꿈을 꾼 듯합니다

박은경

영원

소중한 사람들과 함께한 추억이
아름다운 자연과 함께 변하지 않은채로
영원했으면 좋겠다!

신태호

값진 보상

언젠가 2시간 등산 후 하산하며 본 풍경
정말 올라가기 싫었지만
결국 등반 후 내려오며,
올라갈 때에는 보이지 않던,
아름다운 풍경이
드디어 보이기 시작했다.

정동현

온정(溫情)

차가운 바닷물에 들어가도
찬바람이 불어도
주변 시선이 차가워도
어쩔 것이냐
마음이 따뜻한데.

정서윤

안부

바다는 잘 있습니다.

정찬희

바다의 유혹

처음 보았을 때 홀리지 않았다면 거짓말
흔적도 없이 사라질 것을 알아도
한 걸음만 내디뎌 들어가고팠던 무채색의 바다

조해미

소리

바람소리
파도소리
비둘기 우는 소리
맑은 소리
따뜻한 소리

나규원

바람

사람은 저마다 고민거리가 있을 것 있다.

그 고민들을 폭죽과 함께 날려보내는 건 어떨까?

안지윤

겨울나무

차가운 한파 속에서도
따뜻한 나무
세 계정을 지나
단단한 나무
아무리 센 바람을 받아도
절대 쓰러지지 않은 나무
나무야 나무야
나에게도 알려주렴.

김서련

잠

빨리 자도 졸리고
늦게 자도 졸리니깐
차라리 늦게 자는 게 낫지

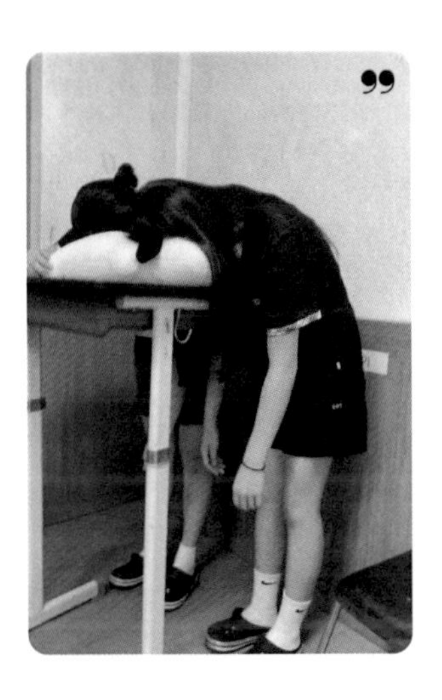

이형준

손

봐라 뭐가 보일까?
손? 손금? 다리? 나도 모른다.
손에 있는 세균도 있고
바닥에 있는 먼지도 있다.
가방에 있는 머리카락도 있다.
너님들의 답은 무엇인가?
0.3%의 차이가 이렇게 크다.
나도 우정 오래 가자 이런거
쓰고 싶은데 식상한 듯 하다.
나중에 보면 추억이구나 싶겠지.

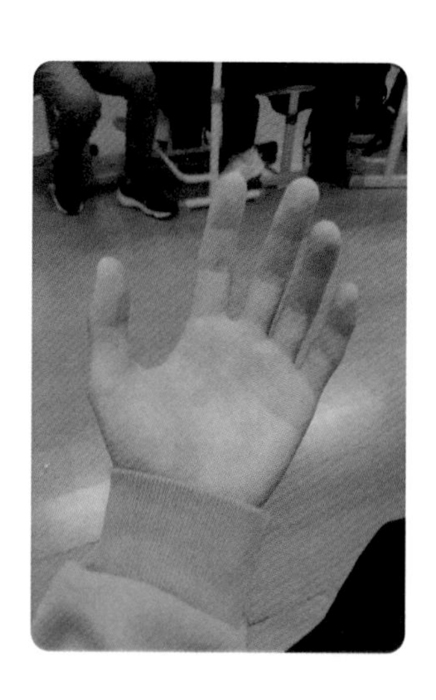

구예빈

겨울

내가 제일 좋아하는 계절
엄청나게 춥고 손도 트고 체육할 때 힘들다
그래도
크리스마스
눈사람
추운 날에 오뎅국물
붕어빵
패딩 부스럭거리는 소리
씻을 때 얼 거 같이 춥다가
따뜻한 방에 들어가면
몸이 녹는 것 같은 느낌
이불 안에서 까먹는 귤
겨울은 행복한 계절이다

박현준

생각

지금은 아침인가
아니면 저녁인가
시간은 우리를 기다려 주지 않는다
지금도 흘러가는 시간속에서
나는 미래를 생각하나?
아니면 과거를 후회하나?
후회도 미련도 다 부질없다
그저 나는 조용히 쉬고 싶을 뿐이다..

고예림

2022.12.26

이 날은 학교에서부터 블루베리가 먹고 싶었다.
그래서
집을 가는 길에 가게를 들러 블루베리를 샀다.
하지만
너무 신난 나머지뛰어가다가 눈 길에 미끄러져서 블루베리를 놓쳐버렸다.
결국
한 입도 먹지 못 하고 블루베리가 땅에 떨어져버렸다.
불쌍한 과거의 나.
지금의 나는 이걸 쓰며 블루베리를 먹고 있다.

정주영

빈자리

당신이 떠나간 그 자리를 보면 마음이 아파와서 아직까지
그대를 떠나보내지 못하겠소.
하지만 시간이 지나면 묻어지고 잊혀질까봐 난 너무 두렵소.
그대의 자리가 사라지면서 내 기억의 자리에서도 서서히
사라져가네.
그 순간은 아프겠지만 점 점 상처가 아물어지고 딱지가 생기는게
너무 싫소.
계속 그대를 기억하지만은 삶을 살아가면서 추억조차도 희미해지네.
언젠가 서로가 각자의 자리에서
성공해서 다시 만나 웃고 떠들기를.
당신이 무엇을 하든 난 당신을 믿네.

박하영

나

해가 지날수록
나를 둘러싼 환경도,
요구받는 것도,
해야하는 것도
변해가는데 나는 그저 덩그러니 놓인 것 같다.

유대영

하늘과 바다

나는 우울하고 마음을 정리하고 싶을때 푸른 하늘과 푸른 바다를 본다. 힘이 들면 하늘과 바다가 나의 친구와 가족처럼 내 곁에 있었으면 좋겠다.
하지만 날이 어두워지면 푸른 하늘과 푸른 바다는 사라져만 간다.
그래도 언제나 날이 밝아지면 나를 만나러 다시 와준다 그러고 같이 다시 보고있으면 마음은 '멍' 해져만 간다.

이수아

새우

급식에 나온 새우튀김
이 새우는 정말 새우튀김이 되고 싶었을까?
새우깡이 되고 싶지는 않았을까?
새우구이가 되고 싶지는 않았을까?
후회되는 인생을 살지는 않았을까?

송예지

길

나의 길
너의 길
우리의 길
내가 바라보는 이 길이 내가 볼 수 있는 마지막 길이 아니길
함께 바라보았던 길이 사라지지 않길
행복했던 순간을 영원히 기억하길
난 언제나 기도한다
너와 함께하길.

장해윤

추억

추억은 바람과 같이
추억은 햇빛과 같이
추억은 강철과 같이
이 순간의 추억을
나는 아슬아슬한 경계 속에
아름다운 기억을 묻고 싶다.

최정결

익숙한

지친 몸을 끌고 집에 도착해서
눈에 들어온 익숙한 풍경
한참을 보았다.
한참을 보고 있어도
계속 보게 되는 익숙한 풍경
또 다시 보고싶어진다.

정다빈

성공

많은 사람들에게
인정받는 것도 성공이지만,
인정받을 수 있었던 과정을 아는 것이
진정한 성공이다.

강유빈

언젠가 올

항상 공부든 아니든 그 어떤 것에
노력하고 열심히 하고 연습도 많이 했다고 생각했지만
항상 결과는 기대 이하로의 점수나 결과를 맞이했다.
항상 '아 뭐가 문제지. 이렇게 하면 더 좋은 결과 나오려나'
매일 새로운 시도를 했지만 달라지는 건 없었다.
그래도
괜찮다
괜찮다고
스스로에게 건넨다.
이런 사소한 작은 것들이 모여 좋은 성적,
결과를 만들어 낼 수 있을 것 이라고
나는 믿고 있다.
모두 행운을 빈다.

류효정

그런 날

이 날은 유독 운이 없는 하루였다.
배가 고파 얼른 먹으려던 라면의 스프가 5분이 넘도록 까지지 않았고,
싫어하는 친구와의 만남을 거절하지 못했고,
기대했던 축제는 아까운 돈만 썼다.
일찍 끝나 축제만 기다리며 버틴 내가 너무 한심한 것 같았고,
집에 간 아이들이 승자라고 생각이 들었다.
많은 짐들을 가지고 학교 밖 돌에 앉아 아빠를 기다리기 시작했다.
진짜 바보같은게 미리 전화를 했어야했는데
학교에 다와서 전화를 했기에 30분동안 그 추위 속에 있어야 했다.
이왕 이렇게 된거 하루를 돌아보는데 피곤하기는 엄청 피곤하고, 다리는 엄청 욱씬거리고, 하루를 낭비해버렸다는 생각에 갑자기 서러워졌다.
가끔 그런 날이 있다.
평소라면 아무렇지 않을 감정이 파도처럼 밀려와 나를 삼켜버리는 그런 날.
이 날이 딱 그랬다. 내 스스로가 한심해서 눈물이 나오는데 그것마저 한심해서 그칠 기미가 보이지 않았다.

그래서 고개를 들어보니 달이 보였다.
항상 달만 보면 소원을 빌었던 나는, 이 날엔 그러지 못했다.
아니 안했다는게 정확한 표현일 것이다. 사실은 달에 소원 같은거 빌어봤자 인데. 마음 한 구석에 남아있는 진실을 외면하고 있었는데, 이젠 더 버틸 수가 없어서 올라온 것일까. 소원이라니, 소원따위. 어느 순간 서러웠던 감정이 달에 대한 원망으로 번져갔다.
밝고 하얗게 빛나는 달 아래로, 환한 가로등이, 그 아래로는 차들이 헤드라이트를 켜고 빠르게 지나갔다.

박계진

누가 뭐래도

저 별은 혼자의 힘으로 빛을 내고있다.
나도 마찬가지다.
누가 나에게 안좋은 말을 하더라도
그 사람보다 내가 빛나니까 상관 없다.

정서별

첫 눈 정서별이 쓴다

작년에는 우리 동네에도 눈이 많이 내렸다.
알바하면서 눈 치우느라 내가 눈사람이 되는 줄 알았다.
이번 년도는 아직 못 봤지만
작년보다 딱 두배만 많이 왔으면 좋겠다.
눈 오기 전에 알바도 그만 둬야겠다.

이서원

소중한 1점

모두가 노력해서 얻은 1점
기분을 좋게 해주는 1점
전국대회 어렵다
부산 낙곱새 낙지 곱창 새우가 거의 없는 낙곱새

김민지

첫눈

날씨가 추워졌다.
첫눈이 내렸지만, 난 보지못했기 때문에 나에겐
아직 첫눈이 오지않았다.
작년 사진을 꺼내서 구경했다. 기억보다 많이
왔었던 눈을 보고 약간 놀랐다.
이번에도 많이 왔으면 좋겠다...

이현진

작년 겨울

작년 겨울 눈이 엄청 왔다
애들이랑 별관 가는 길에서 눈싸움 하고 눈사람 만들고 썰매 탔다
너무 재밌어서 추운 줄도 모르고 머리카락 다 젖을 때까지 놀았다
반에 들어와서 유씨가 기타로 그루브백 치는데
나랑 구씨랑 거기 맞춰서 춤췄다
웃겨 죽을 뻔했다
작년 겨울 그 분위기가 그립다
1학년 5반도 그립고, 보고 싶다
올 겨울도 눈과 함께 행복이 찾아오길

박민성

너에게

너를 향한 기억이
시간이 지나 희미해졌듯
앞으로의 시간들이
너를 더 지워가고
결국에는 잊게 되겠지
그런데
나는 잊고 싶지 않아
희미해지고 연해져
더 이상 완전하지 않은
거짓된 기억 일지라도
그 기억의 종착이 너라면
평생 잊지 않을거야

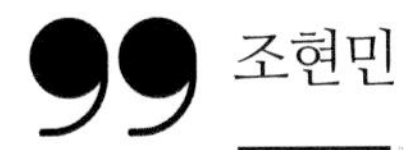

조현민

바다

바다를 보면
마음이 편안해지고
저 바다 끝에는
무엇이 있을까
생각하며
바다를 보면
시간 가는 줄
모른다

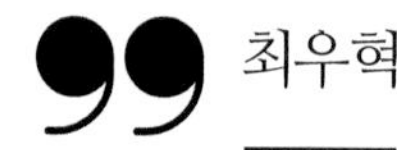

최우혁

여행

여행은
설렘이라는 짐을 싸며 출발하고
아쉬움이라는 기념품을 챙기며 돌아온다.

허서영

이름 모르는 고양이

이름
모르는
고양이
너무
귀엽다.

강경은

탕후루

제주도의 통귤 탕후루.
기대가 크면 실망도 큰 법.
생각보다 시고 차가웠다.
그래도 탕후루 넌 맛있구나.

최윤희

귤 많이 주세요 선생님

1교시부터 체육을 했다.
기용쌤이 우리한테 배구를 초등학생 수준으로 한다고 하셨다.
나는 배구를 진짜 열심히 했다.
귤을 엄청 많이 먹었다.
적어도 5개 이상은 먹은 것 같다.
오후에는 비보잉을 본다고 한다.
잘생긴 오빠들이 오면 좋겠다.
귤을 더 많이 먹고 싶다.
엄마, 아빠랑 제주도 가서 귤 나무 키우면서
살고 싶다.

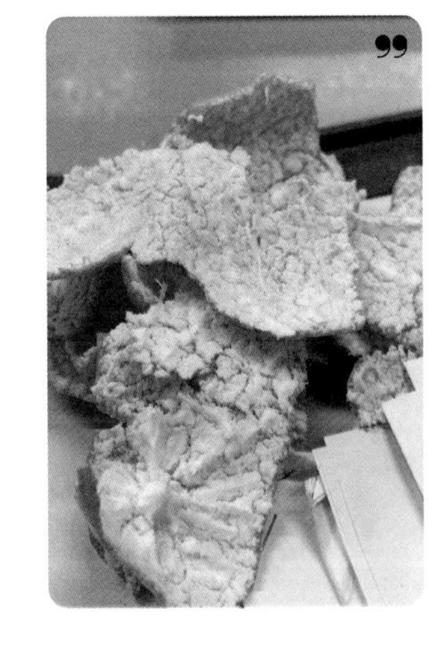

소윤성

친구들과의 여행

친구들과 서울로 여행을 갔다.
오랫동안 버스를 타고 가야 했지만
가는 동안에도
내려서도
노는 동안도
한순간도 빠짐없이 행복했다.

문성민

겨울

자고 일어나니 밖이 하얀 눈으로 쌓여있었다.
한걸음에 달려나가 작은 눈사람을 만들었다.
이번 겨울에도 눈이 많이와 더 큰 눈사람을 만들 수 있으면 좋겠다.

송지우

눈

작년에 내린 눈
이번년에는 눈이 많이 내릴까?
이번년도 많이 오길.

박영지

나는 박영지

이런 두꺼비가 나라고?!
어두운 그림자 속 적힌 이름 두 글자, 영지
못생긴 존재지만 불타오르는 열정
세상이 얕고 편견에 휩싸여도
강인한 내면으로 도전하는 열망은 피어난다
영지라는 이름이 희망의 불꽃이 되어
우파루 이야기의 주인공이 되어
세상을 밝게 비추길 기원한다

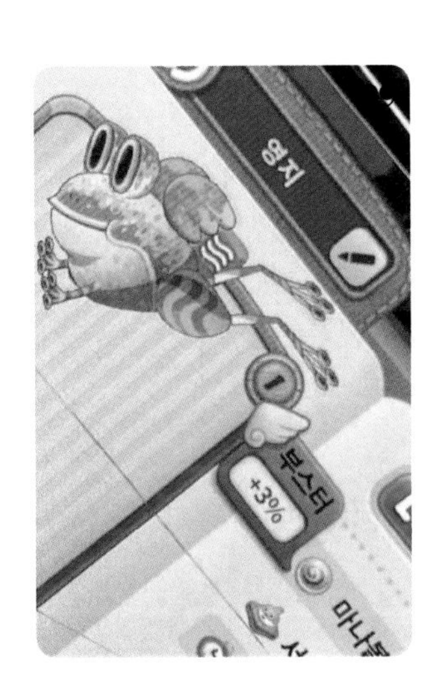

이용호

연말

벌써 곧 연말이네요. 크리스마스가 다가오고 제 옆구리는 여전히 시리네요. 올 한해 한일은 많은 거 같은데 손에 남은 건 별로 없는 거 같아요. 하얀눈이 펑펑 내리는 날에 눈사람 하나 만들 수 있다면 만족스러운 한해 일 것 같습니다. 얼마 남지 않은 2023년 탈없고 행복만 가득한 해피엔딩으로 마무리 할 수 있기를…

이진규

낭만

우리의 뜨거웠던 여름은 아무도 막지 못했다
우리는 여전히 뜨겁게 불타고 있고 앞으로도 꺼지지 않는 불꽃이 될 것이다

99 송혜린

절경

광활한 하늘 아래
눈 부시게 반짝이는 바다.
구름 한 점, 돌 하나,
나를 스치는 바람,
흐드러지듯 부서지는
파도 소리,
마음의 온도를 한껏 낮추던
그 어느 날.
모두가 한데 어우러져
하나의 절경을 이루어내는,
그 풍경은 그저 한 없이 아름다워
끝내 추억의 한조각으로 자리잡는다.

이렇게 다른
너 하나, 나 하나도
하나의 풍경처럼 어우러져
끝내 찬란한 절경을 이루어내는구나.

이영성

정신

요즘 정신이 없다 시험 공부도 해야되고 수행평가도 해야되고
잠은 많이 오고 할게 너무 많고 정신없는거 같다.

김휘은

친구

그냥 같이 있으면 재밌고,
웃음 소리도 재밌고,
하는 행동 하나하나가 재밌고,
이야기만 해도,
이야기를 듣기만 해도 재밌는
우리는 친구다.
고민도 들어주고 재밌는일 있으면 이야기하고
같이 놀러가고 같이 웃고 울고 행복해하며,
싸우는 날이 있더라도 우리들은 극복하며
더 돈독해질거야 매일 매일이 행복하자!!

이해성

미래

끝이 없어 보이는 하루하루를 보낸다
내 미래는 빛나길 바라며
좋은일만 가득하길 바라며
언제나 행복하길 바라며
끝이 없어 보이는 이 구름 사이에
넓은 햇빛이 환하게 퍼지기를 바라며

박지민

집가고싶다

매일 아침에 눈을 뜨면 너무 피곤하다
우물쭈물하며 일어나서 씻고 옷을 입고
나갈때 만큼은 다시 집에 돌아가고 싶어진다
그래도 그것을 이겨내고
학교에 가면 재미있다 학교에서 놀고
집에 들어가면 피곤하다 자고 일어나면
일상이 반복이 된다

최수아

친구이기에

나를 버리고 도망가고 있는 저것들이 내 친구들이다.
가끔은 짜증나고 얄밉지만
그래도 친구이기에 행복하다.

박채아

기회의 계절

아침의 하얀 겨울 냄새
시린 바람
매서운 겨울 속에서
서로의 온기를 깨달으며 살아가는 우리
겨울은
서로가 서로임을 확인 시켜주는 기회의 계절

김시연

오늘의 국짱모(국어짱들의모임)

12월이 되고, 쌀쌀한 날씨로 주머니에서 손을 빼지 못하는 이번주, 1년의 주머니 속의 기억, 얽힌 감정들을 끄집어 내 봅니다. 그 중, 무엇보다도 가장 먼저 생각 났던, 교실 한 켠에서 국짱모를 통해 성장해 온 우리의 이야기를 몇 가지 기록해 볼까 해요. 저도, 학생 친구들 대부분도, 국어를 배우면서 모르는 단어가 있으면 그 단어를 둘러싼 문장을 읽어 그 뜻을 찾아냅니다. 저에게 국짱모의 순간은 모르는 단어를 찾는 과정과 같아요. 국짱모를 들어와 친구들과 공부하고, 조잘조잘 수다도 떨며 그 마지막은 애틋함이라는 단어를 찾았으니까요. 단순히 국어 성적을 올리기 위해 시작한 모임이였지만, 국짱모 마지막 수업을 앞둔 지금은 국어뿐 아니라, 소속감에 대해 많이 배우고 갑니다. 교실 속 국어를 공부하며 행복했던 순간들, 웃음소리 가득했던 이 순간을 꺼내어 잊지 않고 싶어 씁니다. 국어 문제를 푸는 때면 서로 내기를 하곤 했다. 오늘도 그랬다. 1년간 휘은이한테 매점도 한 두번 얻어먹은 정도? 솔직히 이젠 친해져서 그런거지만, 학기초엔 휘은이랑 어색한 사이였는데 국짱모로 인해 지금은 원수가 되었다. 별이 많이 뜬 초가을날, 운동장 응원석에 옹기종기 앉아 서로의 과거, 취향 등 수다들을 많이 나누었다. 다희쌤이 축구를 잘했다는 과거는 타임머신이 발명되지 않는 이상 믿을 수 없겠다.

꺼지지 않는 불씨_ 사실 정식 국짱모는 얼마전 막을 내렸다. 하지만 우리의 외침에 선생님이 응답해 꺼지지 않는 불씨라는 국짱모 후속 단톡방이 개설되었다. 솔직히 말하면 국짱모에 있는게 너무 좋아서 국어는 모르겠고 그냥 신청했다. 그리고 정현서가 이 국짱모의 새 멤버가 되면서 견제하게 되었다. 보미는 그냥 맨날 보고, 밥 먹어도, 질리지 않게 국짱모에서도 만화 캐릭터로 활약한다. 가지필통에서 샤프를 주섬주섬 꺼내어 나에게 건네줬는데, 막상 난 필통 갖고와서 내꺼 썼다. 고전어휘 단어 외우고, 현재 나에게 남은 단어는 다히 쪽이랑 하마 벌써 밖에 없다. 페페T에게 죄송스럽다. 피자 파티 날. 버섯피자는 다희쌤이 시켰는데, 인기가 없었다. 하지만 난 좋아함. 이 날 한희한테 탑피자에서 시켰다고 거짓말 쳤다.

한희야, 피자스쿨이였어.

시험 12일 전, 이 글에 시간을 쓰고 있어서 어쩔 수 없이 여기까지 써야겠다.

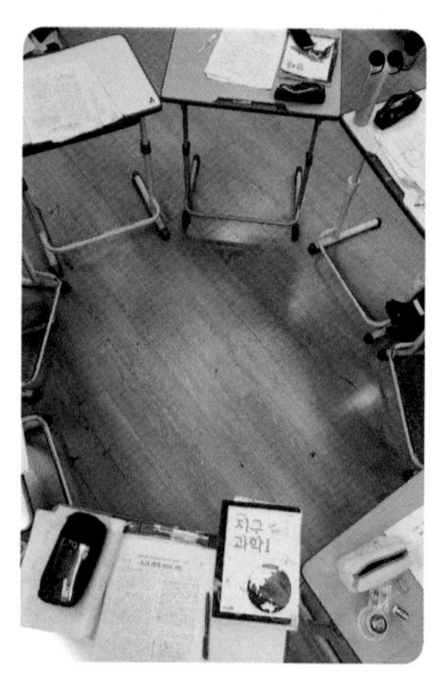

서준헌

과거-현재-미래

있잖아 그런 말이 있잖아?.
과거에 일어난 일은
지나간 일이니 바다의 순환처럼
그저 흘려 보내라고.
있잖아 그런 말이 있잖아?.
현재 일어난 일은
지금 나 자신이 넘겨야할
고비사막과 같은 시련이라고.
현실을 이겨낸다면, 현실을 받아들인다면
모든것이 풀릴 거라고.
있잖아 그런 말이 있잖아?.
과거와 현재를 모두 흘려 보낸다면, 이겨낸다면
미래엔 한 없는 따스한 온기가
너를, 나를, 그리고 우리 모두를
행복하게 해줄것이라고.

손병찬

훌훌 털고 일어나

이젠 돌아오지 않을 너지만,
너에게로 가는 버스에 올라탄다.
하지만 버스는 움직이질 않는데,
기사님은 어떻게 아신걸까.
네가 우리 마음속에 있다는걸.

이한슬

복잡

처음엔 다 힘들고 뒤죽박죽해도 언젠가는 해결되겠지.
친구와 싸울 땐 죽도록 미워하다가도 서로 다시 친구로 지내는 것처럼
시간이 해결해줄거야.
지금 혼란스러운 내 마음도 정리되겠지?
난 그렇게 믿고 있을래.

99 우정현

마음가짐

어둡고 깜깜한 곳에도
빛이 생기면 밝게 빛날 수 있다.
어두움 뒤 밝은 빛이있고,
밝은 빛 뒤에는 어두움이 생기지 않는다.
힘든 마음 속에 행복이 생기면
내 마음도 행복하게 빛날 수 있다.

김다휘

오늘도 나는

주변에는 많은 것들이 있지만 다가오기 힘들 듯
주변을 쳐다만 보고 있다.
자신감있게 먼저 다가간다면 어울릴수 있을까, 아니면 더 멀어질까?
오늘도 나는 누군가 먼저 다가오기를 기다리는 멍청한 생각을 지닌다.

김보경

312호 귀신썰

점호가 끝나고 선생님 몰래
12시가 넘는 시간에 친구들과 빈 방에서 놀았던 기억.
두 번의 경고.
이 방 사용하는 척 불을 아예 끄고
친구들과 이야기 하면서 놀던 그 때.
다시 한 번 선생님께서 갑자기 문 확 열고 들어오셨다.
'...... .'
마지막 경고.
한 번 더 들키면 진짜 혼날 것 같아
각자 방으로 들어갔다.
원래 수련회는 저녁이 제일 재미있는 법!

김선빈

그리움

해가 지는 것을 보며 지난 날에 대한 그리움에 휩싸인 나는
고요한 풍경을 바라보며 그리움이란 늪에 빠져가기만 한다.
그 속에서 지난 날의 즐거움과 함께 떠나간 순간들을 그리워한다.
그리움은 곧 존재하는 삶의 깊이이자,
더 나아가 인간의 아름다운 공감의 표현이다.

김예찬

남겨짐

볼품 없어도 내가 행한 일이다.
아쉬웠어도 내가 만든 결과이다.
후회 남아도 내가 남긴 것들이다.
어제가 남긴 오늘의 결과에 미련이 남는다.
하지만 기억은 버릴 수 없는 추억으로 남겠지.
때로는 버틸 수 없는 아픔으로 남겠지.
그러나 남겨진 것들은 내게만 있지 않음을
모두가 같은 것을 넘겨쥐고 있지 않음을
아픔을 긍정하며 되돌아본다.
모든 시간은 아름다웠고
모든 즐거움은 기억에서 추억으로
그렇지만 원하지 않아도 남겨졌구나.
끝끝내 기억들로만 남게 됐구나.
너도, 우리도

조예은

행복

행복이란 존재는
나를 착각하게 한다.
언제나 행복이
영원할거라고, 당연한거라고
나를 착각하게 한다.
영원할 줄만 알았던 행복이 나를 떠나
힘든 나를, 슬픈 나를 만들게 되고
나도 모르게 마음 한구석에
평생 잊지못할 기억으로 남게 된다.

최도은

고즈넉

고요가 가득한 이곳에서 귓가가 간지럽게 느껴진다.
새 지저귀는 소리,
사람들의 웃음과 말소리,
자동차 바퀴 소리,
바람이 살랑거리는 소리,
나뭇잎이 부대끼는 소리..
여유로 둘러싸여 모든 고민 내려놓고 천천히 호흡한다.

하래경

하늘과 비행기

혼자보다 둘이 낫다.

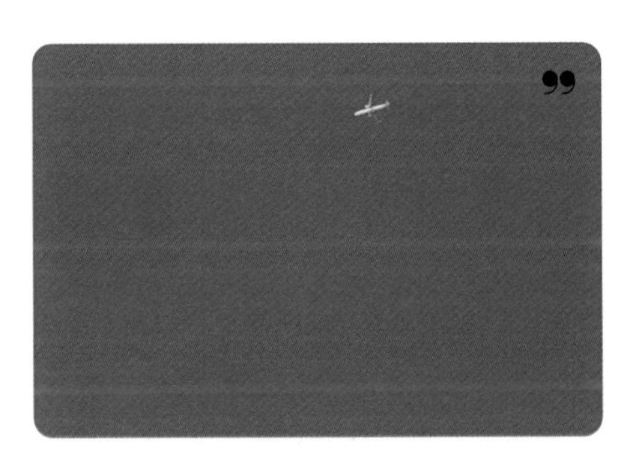

김재희

기다림

우리 집으로 가는 길이다.

길 옆엔 언제나 널찍한 논들이 자리잡고있는데, 그 논들은봄에는 듬성듬성한 연두가 보이고, 여름엔 무성한 초록이 있고, 가을엔 잘 익은 노랑이 보이며, 이내 겨울엔 앙상한 자태만이 보인다.

난 자전거로 집을 오고 가며 이러한 계절의 변화를 새삼 느끼고는 한다.

오늘 너무 추워서, 난 지금의 매정하고 불친절한 겨울바람이 곧 핑크빛 벚꽃잎을 날려주는 싱그러운 바람으로 바뀌기를 손꼽아 기다리고 있다.

김준우

자유

일상의 반복 혹은 무료함에 지쳤다면
일단은 어디를 놀러가는 것은 어떠한가?
무작정 놀러가서 쉬고 싶으면 쉬고,
카페가고 싶으면 가고,
놀고 싶으면 노는 것.
하루쯤은 이렇게 해도 나쁘지 않다.

박시현

갈망

한 번 맛본
달달함에 눈이 멀어
달달함에 깜빡 속아
찐득거리고 녹아있는
너를 선택해도
너를 후회해도
어찌 나는 너를 갈망하고 있는가
달달함으로 포장된
날카로운 유리 성에 갇혀버린
높은 당류라는 감옥에 갇혀버린
쓰라린 충치라는 방안에 갇혀버린
부서져버린 거울 속
나 자신을 보고 나니
갈망이 두렵다
어찌 나는 너를 갈망하지 않겠는가
예전과 똑같은 갈망과
똑같은 끝은 아니길 바라며
오늘도 나는 너를 갈망한다
나의 갈망의 끝엔 네가 있다

박연지

아무 생각

바다를 가면 아무 생각이 들지 않는다.
왜일까?
바다를 생각하게 되면 항상 드는 생각이 있다.
바다를 보면 뛰어들고 싶다는 생각이 있을 법도 하지만
그냥 바다를 보고있으면 아무 생각이 들지 않아서
계속 그곳에 있고 싶다는 생각 밖에 들지않는다.

바다는 나에게 위로는 주는 곳 인걸까?
만약 그런 곳이라면 평생 바다를 보며 살아가고 싶다.

배주연

시간의 흐름

완도로 수련회를 가고 2일차쯤 되었을까.
오늘이 마지막이구나 하는 생각과
시간이 참 빠르다는 생각이 들며 베란다로 나가니 뷰가 참 좋았다.
점점 지는 노을을 보며 내가 곧 고등학교 2학년이 된다는 것과
앞으로의 걱정이 밀려왔다.
잘할 수 있겠지.

안제형

바람에 기대어

인생은 언제나 바삐 움직인다.
내 옆에 무엇이 지나가는지도 모른체로
가끔 바람에 기대어 쉬어가는것도 나쁘지 않다 생각한다.
여태 못보고 지나쳤던 바다, 하늘 혹은 숲에 나무 까지도.
여러 곳에 치이고 부딪히고 힘들땐 잠시 옆으로 미뤄두고
마음과 함께 평안을 가져오는것도 좋은 방법이다.

위종민

기회

사람은 누구나 언젠가 자신에게 다가오는 일을
반드시 부딪혀야 할 순간이 온다.
수행평가, 발표, 사람을 만나는 것,
이 글을 쓰는 것 마저도 누구에게는 귀찮음, 공포, 두려움으로 다가온다.
하지만 그 일을 겪을 때 우리는 성장하고 발전할 수 있는 기회를 마주하게되는 것 일지도 모른다.

이도혁

낭만

낭만이란 무엇일까.
배를타고 떠나가는 것일까.
감동적인 예술작품을 보는것일까.
아니면 암초에 앉아
그저 한마리의 왜가리처럼
홀로 외로운 낚시를 즐기는 것일까.
낭만이란,
친구들과 정자위에 앉아
함께 라면을 먹는것.
'함께' 먹고
'같이' 공부하는것.
'동반' 한다는 것.
그것만으로도
우리들의 낭만은 채워진다.

99 조수경

어쩌다

예술은 실수에서 시작된다는 말을 들은 적이 있다.
요리를 하다가 소스를 잘못 넣은 적이 있었는데,
그 실수로 인해 요리가 더 맛있어지는 것 처럼.
마복림 할머니께서는 떡을 먹다가 실수로
짜장면 그릇에 떡을 빠뜨리게 되었다.
춘장이 묻은 가래떡을 먹어보고 생각보다 맛이 좋았고
할머니는 맛은 좋으나 느끼해서 칼칼한 양념이 더해지면
좋을 것 같다는 생각으로
한국인들의 입맛에 맞는 고추장을 이용해
'고추장 떡볶이'를 만들어냈다.
이렇듯 예술은 실수에서 시작이 된다.

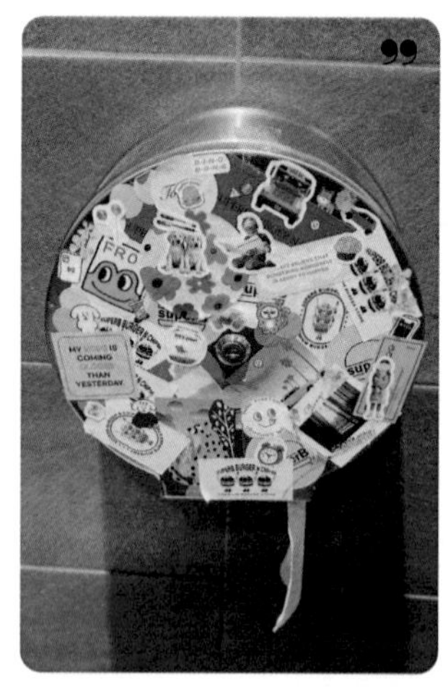

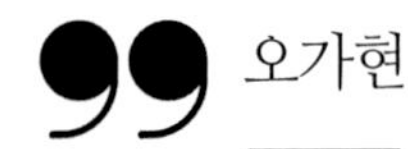

오가현

조화

높아진 하늘을 보며 가을이 부쩍 다가왔다는 생각이든다.
그러다보니 2학년이 된 나를 상상하게 되며
아직 아무 것도 이루지못하였다는 생각에 자책만 하게되었다.
하지만 어느 날 너무 미래만 바라보고 살지 않았나라는 생각이 들었다 .
현재에 만족하지 못하고 미래만 바라보다보니
현재에 소홀해지며 지금도 열심히 살고있지 않나 라는 의문이 생겼다.
흘러가는 구름을 보니 흐르는 시간이 보이는 것같다.
어떻게든 흐르는 시간을 멈출려고 하지 말고 그 흐름에 탑승하여
함께 조화를 이루어 하나의 그림을 완성하고싶다.

김성욱

아름다운 추락

저 높은 하늘에서 추락해도 좋다.
깊고 깊은 낭떠러지로 떨어져도 좋다.
갓 태어난 새처럼
떨어지며 하나씩 배워가는 거다.
오래 떨어지고, 추락했으니
우린 나는 법을 배울 충분한 시간을 가지게 된 것이다.

손현진

가장 멋진 삶

누구든 다른 누군가와 삶이 바뀌었으면 하는 생각을 한번쯤은 한다.
자신보다 힘든 삶은 없을 거라는 생각에 말도 안되는 생각을 한다.
그게 사람이든 동물이든 보기에는 다 즐겁고 편안한 삶을 사는 것 같다.
하지만 반대로 생각해보면 이야기가 다르다. 만약 내가 동물이라고 한다면, 과연 자신의 의지대로 본인의 인생을 살아가는 인간을 부러워하지 않을 수 있을까. 그건 아닐 것이다. 이런 생각을 통해, 모든 사람은 본인만의 고통이 있지만 남들은 그 고통을 차마 발견하지 못할 수도 있다는 것을 깨닫는다. 다른 사람의 인생을 부러워해보지 않았을 사람은 없지만
결국은 편안하고 즐거운 인생은 아닐지라도,
자신만의 고통을 안고 살아가는
삶이 가장 멋진 삶이라는 것을
알게 되는 계기가 된다.

이승하

다르게

우리는 남들과 다르다
다르다는것은 틀린것이 아니다
나는 다르게 살아가고 싶다.
저 꽃들처럼 색이 다 달라도
여럿이 함께 있을 때 빛이 나는 꽃이 되고 싶다.
나는 다르게 살아가고 싶다.

전하준

극복

새끼 고양이가 힘든 상황을 이겨낸 것처럼
나도 힘든 상황을 이겨내고 싶다.
나도 고양이처럼
이 상황을 극복하고 싶다.

정서현

작은 존재

넓은 운동장에 있는
무척이나 작은 저 축구골대는
빠르게 날아오는 축구공을 막으며
축구골대로써의 역할을 잘 수행한다.
한없이 작은 몸으로 꽃가루를 옮겨
꽃들의 수정을 도와주는 꿀벌처럼,
작은 크기이지만 하나로도
방을 환하게 밝힐 수 있는 전구처럼.
어쩌면
우리 주변에서도 작고 희미한 존재이지만
남들 모르게 제 역할을 다 수행하는
그런 존재들이 많이 있지 않을까?

정예원

애정

잔잔한 물결이 일렁이는 바다에
작은 낭만 하나 던져놓았습니다.
조만간 이 낭만이 바다를 타고 흘러
그대들 마음에 파도와 함께 할 것입니다.
그대들 마음은 파도 위 배를 타고
하늘 위로 올라가 곧 구름떼를 이루면
파란 하늘에도 하얀 물결이 일렁이겠지요.
그러니 그대들 어서 잔잔한 물결에
조약돌 하나 던져놓으시오.

정예인

연결

바다는 어째서 바다일까.

윤슬이 반짝거릴 것, 파도가 칠 것, 포말이 감겨 엉킬 것.

모든 것을 충족한대도 바다는 아니다.

그것을 바다라고 부를 때,

바다라는 이름 아래 서로 연결될 때,

그때서야 나는 컵 안에 바다를 가질 수 있게 된다.

정종필

공허

나무 한 그루만 있고 주변은 비어 있다.
내 마음이 이와 비슷할 때가 있었다.
공허.
이 공허한 느낌이 왜 드는지 모르겠다.

신희수

방황

대부분 사람들은
아무 생각없이 어딘가 향하다보면 갈 길을 잊어버려 방황한다.
마치 기찻길에 있는 게와 꿈을 찾지 못한
나처럼.

손동국

여유

우리집 마당에 누워있는 고양이를 보고
난 처음 입학할 때의 마음과 현재 학교 생활의 마음을 비교해보았다.
처음보는 모든 사람이 어색하고 불편했지만
하지만 점점 함께 시간을 보내며 지내가 보면
처음에 있던 낯가림은 사라지고
모든 사람에게 여유와 편안함이 찾아오게 된다.

송준모

불가능

우리의 꿈은 모두 크록스처럼 모양이 다르다.
구 모양은 뭘 해도 쓰러지지 않고
어떤 모양은 크록스처럼 세우기 불가능하다.
하지만,
우리는 모두 자신만의 꿈을 향해 달려간다.
때로는 그 길을 막아서는 장애물이 있다.
우리는 그 길을 막아서는 장애물을 피해
불가능을 뛰어넘어 꿈을 향해 달려가야한다.

김예슬

위로

그런 날이 있잖아
나 자신을 의심하게 되는 그런 날,
내 선택을 후회하게 되는 그런 날,
그럴 땐 내 마음을 닮은 듯한 깜깜한 하늘을 바라봐
작은 별빛을 찾아 바삐 눈을 쫓다보면
그 별이 온 힘을 다해 빛을 속삭여 줄거야.

김태인

여행

평소에는 밖에 나가는 것보다는 집에 있는 것이 좋다.

다리가 아프니 얼른 다 나아서 어디로든 놀러가고 싶은 생각이 내 머릿속에 맴돈다.

사소한 것에도 소중함을 느끼는 순간이다.

강민서

잠시

나의 마음속이 복잡하다고 느껴질 때
현실에 치여 회피하고 싶을 때
감았던 눈을 뜨고
닫았던 귀를 열며
하늘위 평화로운 구름과 함께
드넓은 이 세상을 헤엄쳐보는 것은 어떨까?

곽준호

욕구

잠시 몰려오지만 공부를 해야하는 나의 인생
인간의 3대 욕구 중 하나인 수면욕
그것을 물리치지 위해 나는 마신다.
에너지 드링크
잠을 자지 않는 참치처럼
나도 살아보자.
참치인생

김민채

Viva la Vida

Viva la Vida
인생이여 만세
누구보다 힘든 인생을 살았던 그녀가
몇개의 수박과 함께 자신의 인생에 한방을 먹인 글
이제는 나에게, 여러분에게 이 말을 해주고 싶다
Viva la Vida
인생이여 만세

유정빈

포효

나도 저 고질라처럼
포효해버리고싶다.
생각해봐도 말도 안되는 상황이 닥쳐서
화나고
어이없고
안타깝다는 생각이든다.

박진희

인형처럼

바람에 흩날리는 민들레 홀씨처럼
바람에 몸을 맡기는 갈대처럼
추억은 언젠가 멀리 흘러가버린다.
추억은 언젠가 빛바래버린다.
그러나,
흘러가버린 추억도 빛바래버린 추억도
너와의 추억이기에 여전히 찬란하고 아름답다.
그저 한자리에 서서 날 바라보며 웃는 인형처럼
너와의 추억은 여전히 내 안에 머무른다.

서동혁

위로

달아 잠시나마 구름 속으로 숨어줘 .
너의 빛으로 인해 그들의 눈물이 보여지지 않도록
달아 오늘은 구름 속으로 숨어줘.
우리의 무능력함을 비추지 말아줘.
달아 빨리 사라져줘.
우리의 슬픔을 안고서.
달아 오늘부터 구름 속으로 숨어줘 .
오늘 새로 생긴 별을 찾아 이름을 붙여줘야해.
그 아이의 이름으로…
달아, 네가 있는 그곳에 그 아이도 있을까…

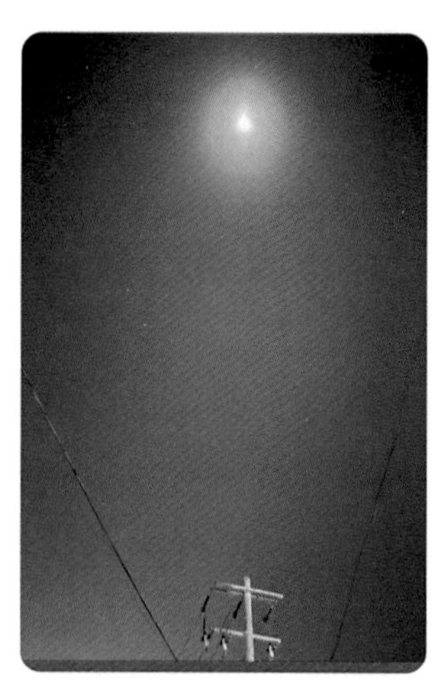

윤다희

이 또한 지나가리라

친구와 놀다가 작은 사고를 쳤다.

황당함과 공포가 공존하는 큰 두려움를 느꼈다.

part Ⅲ.

다희에게_

MEMORIAL ESSAY

김권영

밤하늘을 아름답게 비춰주는 너를 위한 기도

주님,
우리 곁을 일찍 떠나 아름다운 별이 된 친구에게 기도합니다.
하늘에 피어나는 작은 빛으로,
그의 영혼이 평화롭게 우리의 곁을 떠나 주님 곁으로 갈 수 있게 해주세요.
그 동안 함께한 소중한 추억과 따뜻한 순간들을
주님의 품에 안겨 기억하며 살아가게 해주세요.
우리 마음 깊은 곳에 남아있는
친구의 빛이 항상 우리를 비추어주길 기도합니다.
주님,
그에게 영원한 안식을 부여하시고,
우리는 그를 항상 사랑하고 그리워하며 살아 갈 수 있게 도와주세요.
사랑이 많으신 예수님의 이름으로 기도 드립니다. 아멘.

박은성

찰나

뭐 그리 급하다고 벌써 가느냐.
조금이라도 즐기다 가지.
너에게 하지 못한 말들이 많은데
너가 떠나가고야 입을 떼네.
우리 잠깐 만났었던 이 찰나의 시간이
나에게는 더욱 더
값지게 느껴지는 구나.
고마웠다.

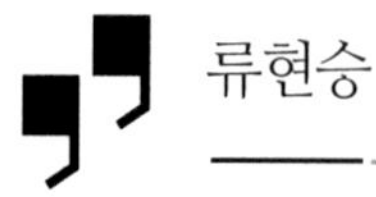

류현승

그리운 노을

10월에
학교에서 수련회를 갔다.
첫 번째 날 저녁에 남들 연애할 때
나는 친구와 예쁜 하늘을 봤다.
노을이다.
너무 예쁘다.
예쁘다는 말로는 다 담을 수 없을 정도의 광경이다.
11월에
친구가 갔다.
이제 노을이 보이지 않는다.
안개가 껴서 보이지 않는다.
저녁이 왔는데도 보이지 않는다.
그립다 노을
그립다 그 시간

장소영

殘(잔)

피아노 선율에 몸을 맡기며
화려하게 춤을 추는 가락가락이
입매로 새어나가고
건반 위로 여행을 떠나는
손가락 하나하나의 곡예에
눈을 마주해본다.
피아노는 여전히 선율을 이루지만
여행 떠난 건반 위 곡예에는
그녀의 웃음만이 일렁인다

안효주

너의 가장 친애하는 친구, 효주가.

내가 가장 사랑하는 친구야.

그 늦은 저녁 뭘 하겠다고 싸돌아 다니면서

새벽 공기 마시며 놀았는지 지금도 그 추억이 생생하다.

망나니처럼 뛰어다니다 차를 박기도 하고 그래서 넘어서져 피가 나기도 하고, 한참을 방방곡곡 돌아다니니 우리 모두 지쳤는지 험한 몰골을 한 채로 우리 집으로 갔지. 양치도 하고 팩도 붙이고 한 침대에 같이 누워 다음을 기약하며 잠에 들었는데…

네가 나보다 먼저 이렇게 일찍 가버릴 줄 상상도 못했어.

네가 사고로 세상을 떠난 그때

너와 하고 있던 전화 속의 목소리가 마지막일 줄 정말 몰랐는데

그렇게 끊겨버려선 안됐는데 나는 지금 네가 너무 보고싶어.

너무 보고 싶어서 눈물밖에 안나네.

분명 행복하길 바라겠지만 조금만 더 불행하고 널 생각할게.

사랑하는 내 친구, 내 가족, 내 하나밖에 없는 메이트.
지금까지 고마웠고 즐거웠고 사랑해.
우리가 다시 보게 될 수 있다면 하루 빨리 그 날이 왔으면 좋겠다.
같이 성인이 되는 축복을 맞지 못하고 먼저 떠나버린 우리 다희야.
네가 어디에 있든 항상 응원하고 행복했으면 좋겠다.
이젠 편히 올라가서 쉬어.
항상 내 미래엔 네가 있었고 항상 나를 좋아한다 말하던 너였는데
이젠 누가 그럴 수 있을까.
단 하나뿐이었던 내 친애하는 다희야.
내가 너 몫까지 열심히 살아줄게, 열심히 살아서 네 몫까지 성공할게.
너도 나 잘 지켜봐주고 응원해주라.

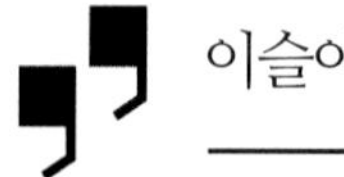

이슬아

익숙함

사람들은 익숙함에 속아
자신도 모르게 그것의 소중함을 점점 잃어간다.
그것이 사람이든 물건이든 말이다.
우리 주변에도 익숙함에 속아
그 소중함을 잊혀가는 경우가 많다.
그래놓고 그것이 사라지면 후회하고
시간을 되돌려 싶어한다.
하지만 결코 시간은 돌아가지 않고
우리의 눈물과 후회만 남는다.
나에게 시간을 되돌릴 수 있는 능력만
있더라면
지금 당장 시간을 돌려 그 소중함을 되
찾고 싶다.
내가 후회 하지 않고 슬프지 않도록

조혜영

누군가의 꽃처럼

너의 꿈을 꾸고 싶다
깨고 나면 온 세상을 너로 적시고 싶고
길을 걷다 멈추어 너의 흔적을 찾아 헤매고
다시 돌아오지 않을까 빈자리를 남겨놓곤 해
스치듯 지나간 꽃처럼 예쁜 너의 미소도
너의 자리도 소중한 추억들도
너가 내 곁에 있다는 것만으로도 행복했다.

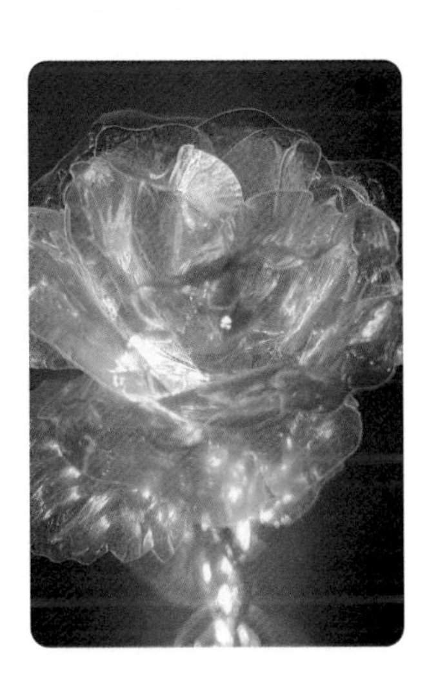

김민서

항해

저 멀리 청미한 바다너머로
알 수 없는 저 수평선너머로
선연한 빛 아래서 한 곳을 향해 나아가지만
도무지 알 수 없는 도착지
거센파도를 거치며 나아가니
빨리도 청춘의 끝자락에 도달한다
음절마저 황홀한 청춘
내 곁에 잠시 더 쉬어가면 좋을텐데
나로 말미암아 청춘의 끝자락에서는
네가 편히 쉴 수 있기를

류현지

원동력

한없이 아름다웠던 친구야, 네가 벌써 그리운듯 하다.
늘 그렇듯 오늘도 자리에 앉아있을것만 같아서 반에 찾아갔어.
오늘은 너 대신 꽃들이 날 반기더라.
아직 난 너에게 해주고 싶은 말들이 많이 남아있는데
이젠 해줄수 없게 되었어.
그래서 여기에다가라도 해보려고 널 꼭 기억할 수 있도록 말이야.
친구야, 하얀국화의 꽃말은 성실과 진실이래.
정말 너에게 잘 어울리는 단어들인 것 같아.
넌 참 성실했고 누구보다도 진실된 사람이었어.
넌 사람들과도 잘 어울리고 배려심도 있는 완벽한 사람이었지.
나한테 먼저 다가와줘서 고마웠어.
생각해보니 너에게 고맙다는말을 해주지 못했던것 같아.
나에게 넌 정말 고마운 친구였어.
아무런 대가 없이 나를 생각해주고 나를 믿어줬던
거의 유일한 친구였던거 같아.
너랑 있으면 편했고 너랑 있으면 뭐든 할 수 있을것만 같았어.
넌 나의 원동력이야. 어디서든 꼭 행복했으면 좋겠어.

송태곤

다시

항상 별처럼 반짝반짝 빛났던 너.
이젠 다가갈 수 없는 별이 되었네.
그곳에선 가장 밝게 빛나는 별이 되길
언젠간 우리가 다시 웃으며 만나는 날이 오길

이예은

다짐

우리는 늘 후회로 인해 절망하고 슬퍼한다.
앞으로만 흘러가는 시간은
아무도 멈출 수도 되돌릴 수도 없기에 자신을 자책 하기도 한다,
곁에 있을 땐 모르지만
떠나가 버렸을 때 빈자리를 뼈저리게 느낀다,
후회가 주는 고통이 너무 아프기 때문에
매일 새롭게 사랑하고 감사하고 용서하며 살아야 한다.
소중한 너를 잃은 나 또한
그렇게 살기로 다짐한다.

이예정

친구별

떠나간 사람은 별이 된다고 한다.
말도 안 되지만, 나는 믿게 되었다.
그래야 못 다한 말들을 저 별에게라도 할 테니까.
보고싶다 내 친구야,
항상 별을 보면서 널 잊지 않을게.
아프지말고 우리 다시 만나자.

임소정

천국으로 가는 길

천국으로 가는 길
정말 천국이 이렇게 생겼을까?
이렇게 아름다운 길이라면
마음 편히 보내줄 수 있을 것 같다.
천국으로 가는 길
거기선 심심하지 않을지
쓸쓸하지는 않을지
걱정이 되지만
이렇게 아름다운 길이라면
마음 편히 보내줄 수 있을 것 같다.
천국으로 가는 길
정말 인간을 구경 온 천사였을까.
그렇다면
마음 편히 보내줄 수 있을 것 같다.

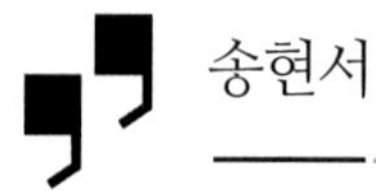

송현서

사랑 애

사랑이 많았던 아이
사랑을 아낌없이 주던 아이
그립고
보고 싶다
아직 우린 사랑을 덜 줬는데
아직 주지 못한 사랑
기억으로 보답하자
사랑해 영원히 잊지 않을께

허연화

눈앞이 뿌옇게

수련회 날 UCC를 찍다가
소독차가 와서 우왕좌왕했던 일 다들 기억나?
난 소독차 좋아해.
연기가 가득해서 앞이 보이지 않아도
뛰어놀 때만큼은 아무런 걱정 없는
어린 아이가 된 것 같아서
그런데 오늘 아침은 무서울 만큼 앞이 보이지 않더라.
네가 보이지 않는다는
두려움이 커서 그런지.

송준혁

또

강아지를 보낸 후 이별이란게 너무 싫었다.
함께했던 추억마저 실수한건 아닐까 후회하는게 너무 싫었다.
싫었던 일인데 그런 일이 또 일어나고 말았다.
그것도 같은반에서 함께 웃고 떠들었던 친구가 취미가 같아서
이야기도 많이 하고 같이 넷플릭스도 보며 즐거웠던 친구가 떠났다.
아직도 실감이 나지 않는다.
자신의 꿈을 향해 뭐든지 누구보다 열심히 살았던 친구였기에
더욱 힘든것 같다.
평소에도 눈물이 없던 나였는데 정말 펑펑 울었다.
아직도 반에가면 적응에 되지 않는다.
뭐가 그렇게 급했을까?
조금만 더 웃다가지. 아직도 너랑 할 얘기가 산더미처럼 쌓여있는데
이럴줄 알았으면 조금만 더 같이 얘기할걸.
너 덕분에 우리반 친구들 모두 아니 1학년 친구들 모두가
웃었던 일이 많은 것 같아
너랑 같은반이어서 너무 행복했다.
너무 보고싶단 말을 꼭 전해주고 싶다.
너무 바쁘게 살아서 먼저 쉬러 간거라 생각할게. 금방 보자.

박온유

잃기 전까지

평소에는 흔하게 볼 수 없었던
예쁜 노을
오랜만에 봐서 그런지
더욱 더 예뻐 보이는 노을
옛 추억을 떠올리게 하는
노을
우리는 가까이 있는 소중한 것들보다
멀리 있는 자주 볼 수 없는 것이
더 예쁘다고 말한다
소중한 걸 잃기 전까지 우리는 알지 못한다
익숙해져서 소중함을 알지 못하는
우리 곁에 가장 가까이 있는 것이
그런 것들보다 더욱 소중하고 아름다운 것이라는 걸

"가슴 아픈 반성부터
희망과 회복력에 대한
희망찬 이야기까지…"